KB141539

그윽한 노래는 늘 뒤에 남았다

나답게 사는 시 003

그윽한 노래는 늘 뒤에 남았다

지은이 | 정두리
펴낸이 | 一庚 張少任
펴낸곳 | 도서출판 답게
초판 인쇄 | 2021년 5월 20일
초판 발행 | 2021년 5월 25일
등 록 | 1990년 2월 28일, 제 21-140호
주 소 | 04975 서울특별시 광진구 천호대로 698 진달래빌딩 502호
전 화 | (편집) 02)469-0464, 02)462-0464
(영업) 02)463-0464, 02)498-0464
팩 스 | 02)498-0463
홈페이지 | www.dapgae.co.kr
e-mail | dapgae@gmail.com, dapgae@korea.com
ISBN 978-89-7574-328-3

나답게·우리답게·책답게

* 책값은 뒤표지에 있습니다.
* 잘못 만들어진 책은 구입하신 서점에서 교환해 드립니다.

나답게 사는 시 003

그윽한 노래는 늘 뒤에 남았다

정두리 시집

도서출판 답게

정 두 리

1979년 첫 시집 『유리안나의 성장』 발간
1982년 한국문학 신인상 시부 당선
1984년 동아일보 신춘문예 동시 당선

*수상
단국문학상, 방정환문학상, 가톨릭문학상, pen문학상,
윤동주문학상, 녹색문학상 외

*지은 책
시집 『기억창고의 선물』, 『파랑주의보(시선집)』,
『질투의 힘(청소년시집)』 외
동시집 『찰코의 붉은 지붕』, 『소행성에 이름 붙이기』 외

현재 (사)새싹회 이사장을 맡고 있다.

| 차례 |

2부 은빛 송頌

3부 오늘의 운세

질문에 대한 시詩의 답

영화 〈포레스트 검프〉 중에서 "인생은 초콜릿 상자 같아서 그 안에 무엇이 들어있을지 모른다"라고 했다. 상자 안에 든 초콜릿에 대한 궁금증을 감히 인생의 궁금함에다 비유할 수 있겠나, 싶었다. 하지만 초콜릿이라는 달콤한 것으로 여성 관객의 눈과 귀를 맛에 연결되게 만든 영화로 지금도 기억에 남았으니 영화 제작자는 소기의 목적은 이루었다고 본다.

돌아보면 내게도 인생의 궁금함에 대해 관심을 갖고 근심하던 나이가 분명 있었다.

내가 할 수 있는 일은 무엇일까, 하는 자문은 내가 이렇게밖에 안 돼?,라는 물음과는 또 다른 것이었다.

새 시집을 준비하면서 '나답게 사는 시詩'를 묶으

며 스스로 내 삶의 주체에 대해 돌아보게 되었다.

저절로 그렇게 되었다.

내가 배웠거나 얻어 알게 된 몇 안 되는 상식에 준한 이론과 얇은 폭의 낱말들에 대해 주저없이 민망하였다.

시선집 1권을 포함 열 두 권째의 이 시집에 그 질문과 대답이 들어있더라고 해준다면 바랄 게 없다.

"앞으로 알아낼 일이 많다는 건 참 좋은 일"이라고 했던 '빨강머리 앤'의 말이 초콜릿 상자에 대한 궁금함과 이어질 것으로 본다.

시詩를 쓰면서 앞으로 알아낼 일 중에 아니 이미 알아낸 일은, 그윽한 노래(시)는 늘 뒤에 남았다는 것이었다.

앤의 말대로 '앞으로' 주위를 염려치 않고 나답게 사는 것이 남아 있는 궁금함을 깨우치는 일에 위불없음을 믿는다.

'나답게 사는 시詩'의 일원이 된 것이 참으로 기쁘다.

2021년 봄날에

정 수 리

1부 나답게 사는 시詩

희망가

'이 풍진 세상을 만났으니
너의 희망이 무엇이냐'
14살, 정동원이 부르는 노래

밉둥 부리고
꾀 부려도 될 네가
이 풍진 세상을 노래하다니
알고 불렀건 모르고 불렀대도
서러운 노래다

눈물이 키워주는 희망인가
허망을 희망으로 돌려세우며
노래하는 어린 너를 따라
나도 희망가를 불러본다

노화

맞은편에 앉은 친구
적당한 나이듦의 얼굴을 보고
내 모습도 저러려니, 한다

아니, 저 보담이야 나을 테지
눙치듯 믿어 본다
언뜻 옆 유리창에 비치는
내 얼굴

나도 크게 다를 바 없구나
이런 재빠른 포기 속의 너그러움
맞아, 늙음은
그렇게 편하게 와야 하는 것이더라

조금

조금, 이라는 말
좋아하는 말이에요

어느 만큼 차지 않았어도
더 욕심내지 않는
의연함이 느껴지는 말이라 그래요

조금만, 그냥 조금
그렇게 말할 수 있으면 좋겠어요
그리 말할 땐
목소리도 낮아져서
쪼끔, 쬐끔이라고 말하게 되겠지요?

만사에 그렇게
조금으로도 넉넉해지는 마음이 부러워요

그 조금은 크게 빛나는 말이고,
알고 보면 흘러넘치는 말이라 내가 좋아해요

아버지의 반바지

여름 옷감 중에
지지미라고 있어요
까슬하고
볼록거리는 촉감이
여름옷으로 아주 좋아요

지지미라는 이름으로 보아
아마도 일본식 옷감으로
전해지지 않았나 싶어요

우리 아버지,
지지미 통 넓은 반바지 입고
쥘부채 부치던 그해 여름
그 옷 아래로 부숭부숭 털이 보이던

아버지보다
내가 민망스럽던 걸 보면
그때 나이
늦은 사춘기였나 봐요

여름이면
부숭이던 종아리 내어놓던
아버지 반바지 생각나요
지지미라는 이름도 떠올라요

보리굴비 정식

인사동 ㄱㅎ 한정식 식당
남쪽 사투리 쓰는 조쌀한 사장님은
부엌 쪽으로 고개를 숙여야 얼굴을 볼 수 있는
늘상 바쁜 분이다

작은 종지에 담기는 젓갈 하나까지도
죄 그이의 손이 가야
특별한 맛을 내었다

가끔 쓸쓸해서 입맛까지 물러날 때는
그 식당 가서 한 끼 먹는 밥은 호사다
살을 발라 가시 뽑아낸 보리굴비에다 민어
부침까지
이곳에서 외로움을 물리칠 수 있는 밥심을
얻어 간다

그보다 밥심이 얹어주는
감출 수 없는 포만감도
사양치 않고 받아 간다

밑나무로 살다

고욤나무
상수리 닮은 자잘한
큰 것 하나만도 못한, 땡감나무들

'나도 감나무'
'너도 감나무'
우겨보는 외침 들어 보았나?

큰 감 만들기 위해
몸을 내어주는
접붙이기를 몫으로 받은 나무

나도 한때 그렇게 밑나무로 살았다
아픔에 울지도 못했고
허기진 딱지는 지금도 남아있다

무조건, 셀 수 없이

형제가 저에게
죄를 지으면 몇 번이나
용서해 주어야 합니까?

베드로의 말에
무조건, 셀 수 없이
일곱 번씩, 일흔일곱 번까지,라고 하셨습니다

하오나,
저는 한 번이
중요한 의미의 시작입니다

눈물과 아픔과
그리고 내가 주저앉음으로
한 번 용서하고 용서받고 싶습니다

그 한 번을
용서하소서
저부터 사하여 주소서

두리씨氏, 아직도예요?

점심시간,
딱 붙어있다가 우루루 같이 일어서는
깻잎장아찌 떼어주고
입맛에 맞는 거 같은
북어채무침도 밀어 놓고
공기의 밥도 미리 덜어주고 싶다가

가만, 하고 멈춘다
이러는 거 괜찮은가, 해서

모처럼 만나서
꽤 오래 함께 시간을 보냈다
집이 외곽이라
잘 들어갔나,
전화 걸고 싶다가 참는다

이러는 거 부담이다, 싫어서

식사 후 앉은 자리에서
립스틱 꺼내
거울 없이 쓰윽, 감쪽같은 친구 부럽다

차 문 열어주고,
커피 맛이 괜찮냐고 물어주고
'너에게 중요한 사람이 되어주고 싶다' 뭐 이런
카톡도 보내주고

내 속내 알아차린 또 다른 친구가
(딱하다는 얼굴로)
두리씨氏, 아직도 그래요?
꿈꾸는 일, 버리지 않았어요?

사투리

서부 경남 출신인
내가 못 알아듣는
경상도 사투리도 더러더러 있더만요

나의 어딘가에서
까탈스러운 꼭지를 보셨는지
고인이 되신 대구 출신
L 교수님은

'어이 정 시인,
자네는 너무 포시라버서'

'어은지예
교수님, 이제 저는 포시랍지 않아요
그런 꼴 마뜩잖아요
눈에 설어요'

포시랍,도
나이 들고
서서히 늙어가나 봐요

마크 로스코 채플

세 번째 방문이다
남자 둘 내게 등을 보이며 미동 없이 앉아 있다
어쩌면 목울음 중인지도 모르겠다
남자의 등은 넓어 빛을 받아
내게로 건너오게 한다
로스코, 그는 왜 스스로 죽음을 택하여
다시 살아보려고 했을까,
나는 왜 이곳을 찾아와
그가 보여주는 묵시록을 받아 적는가?
'세상에서 가장 평화롭고 신성한 장소'
마크 로스코 채플
그와의 소통이 점점 두렵다

화양연화花樣年華

'너 한때 폼나게 살아 봤자나!'
그래
친구 말대로 그 한때가
내게도 있었다

그런데
그것 자랑거리가 아니고
어쩜 천지 분간 못 하던 걸로 치면
우셋거리였을지도 모를 일

저장된 기억으론
백색전화를 달았을 때
아이의 첫걸음
그리고 첫 시집

가장 아름다웠던 순간이
꼭 청춘은 아니었다

그래서 다행이다

골마지가 끼지 않아야지
나의 화양연화花樣年華
방의 어둔 구석을 밝히듯
가끔 드러나 주기를

아버지께

나, 아버지 많이 닮았다는 거 알아요
얼굴만 닮은 게 아니라
식성도 닮고 근거 모를 고집도 닮고
'내가 글재주가 있는 사람이다이'
그것도 인정해요
아버지 산소에 가서 잠시 앉았을 때
후드득 새 한 마리
비잉 돌아 날아가데요
'아버지, 새가 되어 내 곁에 오셨나요?'
손 흔들며 크게 물어볼 걸 그랬어요
그랬으면 내가 알 수 있게
응답해주셨을지도요
'니가 사내였으면' 그 말과
반주깨미 하다 넘어져 다친 이마의 흉터
병원 치료 못해준 아버지 탓으로 원망한 거
다 풀어놓지 못한 서운함이 많아서
오래 미워한 거 용서하세요

도리없이 나이 들어갑니다
다시 만날 수 있을까요,
그날을 기다려 봅니다

흔적

고등학교 2학년
속리산 수학여행 중에 생인손을 앓았다
약방조차 없었다
손톱 거스러미 뜯었구나,
여관 아줌마가 딱해 보였는지 국자에 간장을 끓여서
손가락을 넣어 지지라고 했다
그 손톱만 모양이 다른 것으로 흔적이 남았다

'오한과 발열 권태감이 생긴다'
처방전으로 받은 약병에 적혀있다
우울감이 아니고 권태감이다
의욕 상실 무력감을 약으로 재울 수 있을까?
이따금 나를 찾아오는 권태감
아직 살아있음의 흔적이다

2부 은빛 송頌

할미꽃

미리 고개 숙이지 마라
그럴 필요가 없다

이름조차 할미라니,
그렇게 부르지 않아도
어떤 식으로든
나이티는 나타난다

자줏빛 우단으로 꾸민
꽃 속의 방에서 기다리는
네 속내를 알고도 남겠다

이제 그만 숙여라
뒤돌아보려고 하지 마라
그런다고 등 돌린 사람
진동 걸음으로 돌아오지 않는다

은빛 송頌

빛나요, 멋있어요
그대 은빛 머리카락

냇가 햇빛이 닿을 때 빛나는
작은 조약돌
키대로 바닷속을 유영하는
갈치의 등 빛

이렇게 은빛으로
오로지 은은히 빛나려면
숙련의 시간이 필요하지요?

가지런한 잇속
빛나는 네 웃음을 얻기까지는
자신감으로 아름답게
드러나기까지는~

사진 찍는 날

할머니들이
곱게 차리고 앉아
사진을 찍으려고
차례를 기다립니다

'예쁘게 찍어주소'
그 말 외 다른 말은 하지 않더군요
하긴 무슨 말이 더 필요할까요?

할머니,
한 번은 꽃처럼 피었던 때가 있었지요?
화르륵 화안하던 그때 말예요

다시 꽃이 되려면
환하던 때로 되돌아가려면
이렇게 사진 한 장
필요하답니다

그래도 뭐,
그리 서둘 일은 아니지요
아니고 말고요

귀룽나무

구룡나무
황칠나무,
그리하여 꽃잎 다섯 개
그예 꽃이 아니라
창천의 구름으로 뜬 나무

멀리서 보면
그 언덕에
구름 덩이 내려왔다고 할 거라

가만있어 봐
구름 언덕에 살포시 숨어
유현한 봄
눈 감고 죽은 듯이
잠깐 있어 보면 안 되나?

흔들림 없이 단단한
남자의 푸른 어깨 같아서
나무의 등골까지 아끼는 일도
내가 해줄 텐데~

숫눈길

숫눈길 바라보고
우와! 외친다
내 목소리가 천지 사방으로 흩어진다

눈은 누구에게도
흰 손을 먼저 내어주지 않았으므로
소리 또한 받아주지 않았다

숫눈길의 눈은 알고 있다
그 길을 허락받은 이는
혼례식 끝낸 두 사람
예복 입은 채로
들어서야 하는 길 아닐까?

아직 헛헛함과
허망을 느끼지 못한 이들이
걸어가야 하는 길임을
그들은 모르지만 눈은 알고 있으니

오래 내린 비

필요 없어선가
하늘이 쏟아붓는 물줄기
그래도 그렇지
산까지 헐어서 바다로
내몰아 버리고 싶은,
꼭 이래야 하시겠습니까?

지붕 위에 소 떼가 오르고
찻길을 보트로 저어가고
산천이 흐르고 흐르고
집은, 아~ 집은
그거 아무것도 아니고 말았습니다

빈 몸이 되어
정처 없을 사이도 없이
기어이 다시 일어서라 합니다

눈물도 사치이니
살아있음이 값이다, 여기라고요?
이제 비 그친 하늘,
무심한 따가운 햇빛
2020년 여름

풀독

아침 산책길 덩굴풀에 발목이 걸렸다
따끔해 주저앉았다, 선명하게 긁힌 자국
분홍빛 금을 그으며 부풀어 오르고
깨알같이 종종 피가 맺혔다

나를 긁은 것은 환삼덩굴,
촘촘한 잔가시가 맨살에 스치면
그대로 상처를 입히는 풀

풀에 독이 있다는 말이 떠올랐다
'풀에 의한 접속성 피부염'이 풀독이라지만
따로 믿어지는 게 있다

바람에 흔들리고 발길에 짓밟히다가
풀은 가끔 앙칼지게 자신을 나타내고 싶었다는 것

상처에 딱지가 앉아 떨어질 때까지
풀의 푸른 독을 기억하려고 한다

화사하다

동백나무에 동백꽃이 달리면
땅은 기대감으로 조금씩 부풀지
떨어지는 동백꽃이
땅에서도 시들지 않고
꽃으로 남아
한동안 꽃잔치를 벌릴 수 있을 거거든
프랑스 자수 같은 노랑 꽃술의 입체감이
돋보이는 동백꽃은
겨울꽃으로 살아
동백이다가 춘백으로
추운 날씨 아랑곳없이
화사의 한끝을 보여주고 있었어

죽은 자의 날[*]

삶과 죽음이 만나는 축제
죽은 자의 날

디즈니 애니메이션 〈코코COCO〉에서는
이승과 저승의 잔치가 벌어진다
먹고 놀고 춤추며 노래하는 날
메리골드 죽음의 꽃길은
황금빛으로 환하게 펼쳐진다

무섭지 않다 해골
무엇이 두려운가, 죽음!
빨리 죽는 것도 선택임을 아시라

사랑하고 사랑받았음은
끊임없이 그에 대해 추억하는 것이다

코코, 우리 서로 잊혀지면
그땐 죽은 것이다
죽은 자의 날,
축제는 그래서 영원하다

* 죽은 자의 날: 매년 10월 말에서 11월 초 세상을 떠난 가족이나 친지의 명복을 비는 멕시코의 명절, 유네스코 인류 무형문화유산으로 지정됨.

상비약

열 날 때
배탈일 때 먹는 약
잘라 쓰는 반창고
이젠 오래되어
용도가 기억나지 않는
통에 담긴 연고도 있었다

까만 강엿 같은 고약을
상처에 바둑점으로 붙이고
속이 치밀면 손가락 따고
'엄마 손은 약손'이던 그때의 상비약

믿을 데가 있게 해주던
약으로 가라앉는 병은 다행 아닌가!

상비약이여,
그제나 지금이나
나를 위해 건재해다오

데낄라

용설란의 심장부에서
뽑아내어
오크통에서 숙성된
정령의 술

윗도리 탈의해도 보기 좋아
우울은 날아가고
노래와 춤
데낄라! 외쳐라

엄지손가락에 가루 소금
초록 라임 조각이면
그만이다

네가 적시는
땅은 저녁이면
드넓게 번져가고

그 길 따라
내 마음도
젖은 채 따라가고 있다

3부 오늘의 운세

비둘기의 비만

'음식물 쓰레기나 먹이를 놓아두지 맙시다
스스로 필요한 먹이를 찾아가도록 도와주세요'

고맙기도 하셔라,
현수막에 적힌 문구
언제는 인심 넉넉하시더니
이 무슨 배려이신가?

이미 부풀어질 대로 부풀은 배 속
게으름으로 뒤뚱거리는 걸음걸이
이제는 스스로 먹이를 찾으란다
자력 갱생해야 한대

비둘기야,
부디 저 글을 읽을 수 있어야 해
대신 읽어주는 것
그거 못할 일이야

속말까지 일러주긴 더 민망하구나

정전기

이건 유혹이 아니다
요란스런 자극이다
겨울 들어서부터
노골적인 속내를 보인다

가벼이 손을 잡다가
서로 흠칫한다
(이 뭣이지?)

자동차 문을 열다가
찌리릿
너무 과한 환영인가,
거부인가?

겨울 친구여,
그대의 심사 따지지 않고
그냥 받아주마

찌릿찌릿 나도 그렇게
몸 떨리는 유혹 앞에
서 있어 보려고

동복冬服

외출에서 돌아와 벗는 옷이
침대 위에 쌓인다
겉옷 하나 둘, 그리고 셋
레깅스까지
비늘 훑듯 벗는다

이렇게 옷 짐 껴안고
돌아온 몸 수고했다
그러고 보니 옷 짐 질 수 있도록
긴 겨울 참 실하게 살이 올랐다

동복冬服 속에
감추듯 한 것이
어디 오른 살 뿐이랴

봄이 오면
살구빛으로 다가올
설레임 같은 것
그것이 부끄러움일지도 모르면서
지금 키우고 있는 중이라는 것

레시피

약간, 알맞게, 가늠하여
한 꼬집, 적당히
내가 추종하는 계량 방식이다

신메뉴 같은 거
딱히 좋아하지 않는다

싱싱한 제철 재료에
나름의 성의가 있으면
그게 최선의 레시피라 믿는다

깊이 든 맛이 진국
요령 피지 않는 담백
오묘한 감칠맛은

어떻게 얼마를 지나야
되는 것이 아니다

그저 개수대와 가스레인지 앞에
찍어놓은 발자국과
내 손의 온기가
나의 레시피

나쁘지 않다

백 년 만이야

그렇지, 백 년 만이지 우리
오랜만이라고 반가워서 하는 말이지만
남은 시간치를 계산해서 백 년까지 살지는 말자
그 과한 욕심으로 아프게 살지는 말자고
마음 저 아래에서 백세시대인데 은근 속삭여도
죽고 싶다고 어디 죽어지든가, 하고 꼬드겨도
우리 절대로 그리 오래 살지는 말자
이렇게 오랜만에 만나 마주 보며 백 년만이야,
그런 엉터리 날짜를 짚어가는 일은 허용하지만
오늘 하루 살아있음도 버거운데 백 년을 허수로 듣거나
만만하게 보면 안 되는 거, 알고도 남는 일 아니었니?
주신 몫만큼 끝까지 살아보자
아름다운 그대들이여

편안한가, 그대

그녀는 요양원에 있다
마를 대로 말라서
그렇게 가벼워야 날개를 달고
하늘에 닿을 수 있는가?

세일러복, 양 갈래로 땋은 머리
단체의 기수가 되어
앞장서서 걷던
웅변대회에서 상도 받았지
수녀원에 입소하겠다고 하더니
나보다 먼저 시집을 가더군

그동안 많고 많은 일이 있었고
인생의 신산을 엮어내더니
더 맡을 일 없어진 지금
그대, 편안한가?

선아!
너, 시력을 잃고도 내 목소리 알아듣더라
아예 못 알아 버리지 그랬어
그랬다면 돌아오는 길이 어둡지 않지
깜깜한 길을 눈물 등불로 밝히지 않았지

밥이나 먹자

'독상獨床은 독毒'이라 했다
혼자 먹는 밥
홀로 독獨이 주범이다

그랬지만
김치 두 가지, 창난젓, 김구이, 된장찌개
독상을 차린다

독상도 득得이 되고
살이 되라고
한 끼 빠지면
그예 영영 못 먹게 된다고

보세요,
우리 밥이나 먹읍시다
당신은 그곳에서
나는 여기서

이발소 그림

그 그림을 아는 사람이
점점 줄고 있다
이발소라는 업소조차 낯설게 되었으니

오늘도 무사히,
두 손 모으고 무릎 꿇은 소녀
물레방아 돌아가는 시골집
일곱 마리 돼지 새끼와 엄마 돼지
밀레의 〈만종〉 닮은 그림

업신여기고
싸구려 취급을 받아
이발소 그림이라 이름을 얻었지만

유명화가의 그림에 뒤지지 않게
미술 교과서보다 친숙하여
눈에 익었다는 것

그 그림 아는 이 모여라!
이발소에서
수동 바리캉에 머리를 뜯기거나
기계총을 앓아본 아이

작은 키 올리려고
나무 받침 위에 앉아 본 아이는
그림을 기억하리니
그때를 나누고 싶다

오늘의 운세

신문 하단에 실리는
오늘의 운세를 본다

뭘 알고픈가? 물어본다면
하하, 나의 궁금은 알고 보면 허약하다

오늘의 귀인(ㄱ,ㅂ,ㅊ)
오늘의 색깔, 노랑을 피하라
오늘의 조력자는 말띠
어디 가서 말띠를 찾나요?

가급적 외출을 삼가라
충분한 휴식, 능률 배가
뻔한 말을 누군들 못하랴

나 아닌 이 세상 돼지띠 누군가
노랑 옷 입지 말고

귀인을 만나고
기분좋게 로또 한 장 사시라
빌어 드릴게

오늘의 나의 운세
놀라라, 운수대통이란다
아무 일 없이 보낸 저녁
흐흥 웃겼어
아무 일 없어 고마운 오늘 하루

눈 내린 아침

치운다
쓸어 낸다

눈은 결국
천덕꾸러기가 되려고
이 땅에 오게 되었나?

치우고
쓸어 내는 것은

죄 무겁다
힘이 들었다

멸치 똥

세상에나
작은 몸 어디에다
이렇게 새카만 똥을
야무지게도 감추고 있었네

은빛 나는 겉옷으로
한껏 치장을 했지만
똥은 어쩌지 못했구나

신문지 펴놓고
몸을 발라 똥을 따낸다
아무 쓰잘데없이
쓴맛밖에 낼수 없는

아니, 다른 맛을 해코지하는
작은 몸에 숨긴
네 똥을 처리하며
한껏 네 몸매까지 흉보고 있다